나의 아픔과 슬픔, 그리고 행복

나의 아픔과 슬픔, 그리고 행복

발 행 | 2024년 04월 30일
저 자 | 김 세실
펴낸이 | 한건희
펴낸곳 | 주식회사 부크크
출판사등록 | 2014.07.15.(제2014-16호)
주 소 | 서울특별시 금천구 가산디지털1로 119 SK트윈타워 A동 305호
전 화 | 1670-8316
이메일 | info@bookk.co.kr

ISBN | 979-11-410-8323-6

www.bookk.co.kr

나의 아픔과 슬픔, 그리고 행복

김 세실 지음

제1부

아 픔

제2부

슬 픔

제1부

아 픔

처 음 엔

처음엔 백년이라도 함께 할 수 있다 생각했죠.
참, 무모한 생각인줄 모르고
처음엔 나만을 사랑해 줄 거라 믿었죠.
그 안에 무수한 거짓이 있는지도 모르고
둘 만의 꿈을 위해 나아가고 있다고 생각했는데
서로의 다른 이상에 빠져 이제는 남보다
이해 안가고 외면하는 사이가 되어버렸죠.
많이 아팠죠.
오래 오래 함께 할 줄 알았는데
어느새 나 혼자가 되어
어리석음이었음을 알게 되었으니
처음이라 너무 아픈 것들이 많음을 알게 되었죠.

외 로 움

외로움은 혼자여서 외로운 게 아니다.
주변에 친구가 있어도
애인이 있어도
가족이 있어도
외로운 것이다.

외로움은 그렇게 항상 내 곁에서
떠나지 않고 있다.

그렇다고 친구가 되어 주지도 않는다.
언제쯤에 친구처럼 가볍고 가까워질 수 있을까?

날 괴롭히면서 언제 어디서든 날 찾아내서
내 곁에 와 버리는 외로움

난 그저 빠져나갈 수 없는 그 외로움에
동조하고 있을 뿐이다.

그 리 움

그리움이란 벗어나고픈 굴레 같은 것
사랑해도 보고 싶어도 만지고 싶어도
볼 수 없고
하염없이 기다리는 것

너의 목소리의 잔잔함이 나를 흔들고
당장이라도 문 밖으로 나가게 만드는 충동을
만들어 버리는 그것은 그리움

뼈 속 깊이 사무쳐 나의 모든 것을 흔들어
버리는
무서운 그것은 그리움

오늘도 그 그리움에 지쳐서 눈앞을 흐리게 하고
뿌연 안개로 눈을 덮어 버리고 만다.

빨강머리 앤

난 언제나 빨강머리 앤이 되고 싶었다.
큰 맑은 눈동자를 가진 아이
어른이나 주변의 사랑을 전혀 받지 못했지만
혼자 상상하는 것만으로도 행복을 느끼는 아이.

슬픔을 슬픔 그대로 느끼며 상상으로 행복을
찾는 아이
외로움은 외로움 속에서 친구를 찾아
서로 우정을 나누어 주고 행복을 만들어 진짜
친구를 찾는 아이

용기 있는 아이, 주변에 아무도 없어도
자신만의 용기로 삶을 훌륭하게 꾸며가는
빨강머리 앤

나는 언제나 그런 빨강머리 앤이 되고 싶었다.

내 주변에 아무도 없을 때

슬픔에 어떻게 할 줄을 모를 때

친구가 없어 외로움을 달랠 수 없을 때

자기 자신이 싫어 행복을 부정하고 있을 때

난 빨강머리 앤이 되고 싶었다.

영　　혼

나의 영혼은 이미 이별을 했다.
그대와의 이별
기억해줘
그대라도 나를 기억해준다면

나의 영혼은 슬픔 속에서도
계속해서 당신을 찾아 지켜 줄 수 있을 것 같아.

영혼은 그저 영혼일 뿐
난 당신을 절대 떠나지 않아.
그러니 기억해줘
당신 옆에 나의 영혼이 영원히 있음을

낙　인

내가 원해서 찍힌 게 아닌데
어느새 나의 몸엔 몹쓸 낙인이
여기저기 찍혀 있다.

난 사랑을 주었을 뿐인데 당신은 나의 모자람을
나약함을, 모질지 못함만을 보고
나를 당신 마음대로 하고 싶어 하는 대로
움직이는 인형으로 만들려 했겠지
하지만 당신은 그만한 가치가 없는 사람
그 정도는 나도 알 수 있지

그래서 나에게 낙인이라는 억울함을 찍었나?
그러면 속 시원하나?
그래서 날 이겼다고 생각하나?

나도 한 동안 분노 속에서 시간 낭비를 했지
그 덕에 큰 공부를 했지
낙인이란 건 그렇게 함부로
누군가에게 찍는 게 아니란 걸
또 찍힌 내가 잘 못한 게 아니란 걸

그걸로 누군가를 미워하는 건
날 미워하는 것이기에
그 시간에 날 사랑하는 시간을 갖는
마음을 가져야 한다는 걸
그런 마음을 갖게 한 낙인
고마워....

보 고 싶 다

옆에 있을 땐 죽도록 밉고 원망스럽던 당신
그런 당신이 그립습니다.

나보다 술, 친구, 사람을 좋아해 난 언제나
뒷전이었던 시간들, 둘만의 시간도 없었지만
그래도 한없이 기대어 살아왔었던 삶.

내가 불쌍해 하늘이나 땅으로 꺼지고 싶었던
순간마저도 난 혼자만을 생각하지 못했는데

마지막까지 날 이렇게 외롭게 버리고 가버린
당신이 너무나 보고싶습니다.

한 없이 원망스럽고 아프고, 절망스러운 시간이
지나도 당신이 보고싶습니다.

그래도 그런 당신이여도 나에겐 의지할 수 있는
단 한 사람이었기에....

반 복

사랑도 반복적으로 하고
이별도 반복적으로 하고

원망도 반복적으로 하고
슬픔도 반복적으로 찾아오고
아픔도 아물기 전에 또 찾아오고

그 걸 계속 반복적으로 겪는 나는
결코 반복적이지만
올 때마다 편해지지는 못했다.

반복적으로 오는 것을 막을 수도 없어
내가 겪어내는 아픔은 조금도 나아지지 않은
생 아픔이다.

불 면 증

자고 싶어도 못자는 병
불면증

누가 못 자게 방해하는지
너무 미운 얼굴 없는 미운 손님

누군지 몰라 더 약 올라 하는 나

도대체 무엇이 문제일까?
나의 문제일까?
내가 무엇을 잘못한 걸까?

아님 얼굴 없는 손님이 내가 미운 걸까?

오늘도 날 괴롭혀 자다가 깨고를 수없이
반복하고 만다. 난 오늘도 졌다.

다음엔 불면증과 친구가 되어야겠다.
친구로서 내가 좀 더 편안해 질 수 있는
방법을 찾자.

아 버 지

오래오래 살아 계실지 알았죠.
치매가 일찍 오셨을 때만 해도
그래도 우리 곁에
오래 계실 거라 생각했죠.

그런데 생각보다 우리 곁에
오래 계시지 못하고 너무
멀리 떠나 버리셨어요.

전 아버지에게 아무 얘기도 하지 못했는데

어렸을 때 손잡아 달란 말도 못했고,
머리 한번 쓰담쓰담 해달란
투정 한 번 못했어요.
중고등학교 때라도 다정하게 골목길 한 번
걸어본 적 없고

둘이서 대화 한 번 나눠본 적 없는
부녀 사이였는데

저도 그때는 그런 것들이
그렇게 중요한 것인지 몰랐어요.

그러나 지금에야 알겠어요.
어릴 적이든, 커서든 아버지의 손길 한번
대화 한번 하지 못했다는 것이
아버지가 안 계시는 지금에서야
절실히 제 몸으로 마음으로
너무 아프도록 느껴지고 아쉽다는 것을요.

아버지와의 사랑을 느낄 게 없다는 것이
저의 마음을 너무 아프게 합니다.

기 다 림

일 년이 지나고 이 년이 지나고 오 년이 지나고
팔 년이 지나고 십년을 기다렸습니다.

하지만 당신은 변하지 않는군요.

다른 사람들의 말들은 다 믿고
나의 모든 모습은 하나도 믿지 않는
당신 그래도 난 당신을 기다렸습니다.

십년을 기다렸습니다. 그래도 믿지 않기에 저도
이제 당신을 놓겠습니다.

한결같은 모습으로 지키고 있으면
보여주고 있으면 믿어 주리라 기다렸는데
당신은 아니었습니다.

나의 괜한 기다림이었습니다.

그 림 자

그림자는 언제나 우리 곁에 있다.
하지만 없기도 하다.

불빛이 있으면 있다가도 불빛이 사라지면
같이 숨어버리는 그림자는
많이 쑥스러운 나의 분신

그림자가 나오면 모든 생물, 환경, 자연이
얼마나 아름다운지
우리는 알고 있다. 그런 불빛이 사라져
그림자가 사라져 버리면
우리는 그 아름다움을 아쉬워하지 않는다.

그저 당연히 있다 사라져 버리는 그림자로
알고 있기에.... 어느 날엔 한 번도 볼 수 없는
그림자 이기에

나라도 소중함을 알기로 하자.

나의 소중한 분신 그림자 없어서는 안 되는
그림자
그림자가 찾아오면
반가워 해주고 따뜻하게 대해주자.
또 하나의 나이니까.

잊는다는건

그 사람을 잊는다는 건
그 사람과 비슷한 옷을 입은 사람이
지나가는 모습을 보고도
무심해져야 하는 것

그 사람을 잊는다는 건
버스에서 그 사람 뒷모습과
똑 같은 모습을 보고도
놀라서 확인하러 가지 않는 것

그 사람을 잊는다는 것
그 사람과 차를 타고 지나왔던 길을 지나가면서
그 사람을 생각하지 않는 것

잊는다는 것은 이런 것들로 버티지만,
그렇지만 내겐
너무 어려운 수학 공식 같은 것

거 짓 말

사랑해서 하는 것도 거짓말
그 사람을 속이고
나를 위해 즐기기 위해 하는 것도
거짓말

당신을 가볍게 여기며 하는 것도
거짓말

다른 사람이 당신을 모함할 때 하는 것도
거짓말

당신을 위해 속이기 위해서 하는 것도
거짓말

이 세상은 거짓말투성이
그 안에 진실은 얼마나 될까?

거짓말 속에 나의 진실은 얼마나 될까?

나는 나비가 되고 싶었다

나는 나비가 되고 싶다.
아름다운 옷을 입고 날아다니는

나는 나비가 되고 싶다.
남들이 가지 못하는 곳을
훨훨 날아 갈 수 있어서

나는 나비가 되고 싶다.
색색가지 아름다운 옷을 입고 있는
나비가 너무 부럽다.

나비가 나의 손을 잡고 함께
날아 준다면 그대가 잠들어 있는
곳으로 날아가 사뿐히 앉아
숨결을 느끼고 싶다.

길

나에게 길이란
무관심에서 도망치는 것

놀림감에서 탈출하는 것
외로움에서 도망치는 것이었다.

다른 길은 쳐다보지도 않고
한 길 만을 보고 달렸다.

그 길이 날 진정 사랑하는지
그것은 내게는 중요하지 않았다.

내가 넘쳐 나도록 사랑했으며
휘어진 길도 내가
곧은 길로 잘 다져지게 만들 수 있을 것 같았다.

하지만 그 길은 고난의 길이였으며
그 길의 끝에 와서 보니
그 길은 나의 길이 아니었음을
이제야 알게 되었다.

기 억 상 실

사람은 기억상실로 살아간다.
아프고 잊고 싶은 기억은
기억상실이라는 방법으로 잊어버린다.

온 몸에 상처투성이에
마음은 절벽 끝에 서 있는 상태에서
난 기억상실이라는 방법을 쓴다.

그러면 절벽 끝에서 뒤로 세 걸음
발걸음을 옮길 수 있다.

주변에 지인들과 가족들이 손을 잡고
끌어주면 두어 걸음 뒤로 물러 설 수 있다.

이렇게 살면서 너무 힘들고 아플 때
기억상실이라는 방법을 써 보자.
벼랑 끝에서 조금이라도 뒤로 갈 수 있는
방법이 될 수 있다.

사랑하게 해줘

널 사랑하게 해줘
난 왜 안 돼?

이 세상에 갇혀 널 사랑하지 못한다면
난 너무 슬플 거야

이 세상을 부셔버릴 거야
그래서라도 널 사랑하고 싶어

이 세상이 우리의 사랑을 알아주지 않는다고
해도 내가 있고 우리가 있잖아

그러니 내가 널 사랑하게 해줘
이 세상만큼 널 사랑할게

나만의 동굴

난 지금도 나만의 동굴 안에 있어.
넌 지금 어디에 있니?

날 이 어두운 동굴에 가두어 두고
넌 지금 어디에 있니?

하늘 위 천상에서 동굴 안에 갇혀 버린
날 보고 있는 거야?

그럼 난 어떻게 해야 해?

날 위해 도와줄 수는 없는 거야?

난 아직 동굴 밖이 무섭고 두려워.

넌 여전히 너만을 생각하며 가버렸어.
언제까지 난 너의 생각에 잠겨 동굴에

갇혀 살아야 할까?
이제는 날 놓아줘.

어두운 동굴을 벗어나 환한 밖에서
너와의 추억을 생각하고 싶어.

봄　꽃

봄이 왔다
봄바람이 불고
봄꽃들이 피기 시작했다.
개나리 유채꽃 진달래

주변에 시선을 돌리기만 하면
갖가지 아름다운 색으로 옷을 입은
꽃들이 사람들을 반기고 있다.

벚꽃 아래에서는 연인과 가족들이 행복한
미소를 서로에게 나누어 주며 사랑을 하고 있다.

난 꽃이 아름답지 않다.
향기가 나지 않는다.
벚꽃 아래에서도 아무 느낌도 나지 않는다.

갖가지 꽃들이 내게 인사를 해도
나는 인사를 하지 못 한다.

이런 봄날 나의 마음은 어디에 있을까?

이 별

이별은 무섭다.
누군가가 떠나가야 한다는 것
누군가에게 잊어져 가야 한다는 것
그래서 두렵다.

사람은 왜 사랑하고 이별 할까?
이렇게 마음 아픈 것을
이렇게 슬픈 것을
이렇게 힘든 것을

그래도 사람들은 또 사랑하고 이별한다.

모든 것이 그들도 어쩔 수 없는 운명인 것처럼
사랑하며 이별하고 또 사랑하며 살아간다.

항　　구

항구의 밤에는 수많은 별들이
반짝이고 있다.

어느 별들은 항구를 왔다 갔다
방황하고

어느 별들은 자신의 빛을 크게
발하며 사람들에게 자신의 존재를
뽐내는 듯하다.

항구의 별들은 수평선에 붉은 해가
떠오르고 날이 밝아 오면
그 빛이 점점 작아져 버린다.

그럼에도 아쉬운지 나머지 별들은
마지막 힘을 내어 빛을 발하며
하루의 마지막을 아쉬워하며
내일을 기약한다.

이 별 후

이별 후 그 사람과 우연이라도
부딪히길 바랬다.

길거리를 걸으면서도 만나면
어떻게 할지를 머릿속에 그리며
난 걷고 있다.

하지만 그것은 나만의 상상 속 모습뿐

이별이 나에게 준 것은
허접한 상상속의 초라한 나의 모습

그리고 나의 사랑이 아직
끝나지 않았다는 잔인한 현실이다.

잊는다는 것

잊어야 한다.
너를 위해서
나를 위해서

살기 위해서
살아내기 위해서
잊어야 한다.

그런데 그것이
너무 힘들어
내 자신까지
잊혀진다.

너를 잊기 위해
나까지 잊어버린다.

길을 잃어버렸다.
나의 길을 잃어버렸다.

삶을 살아가기

삶을 살아가기 위해
난 귀를 닫았다.

나에게 쏟아지는 여러 가지
이야기들 듣지 않으려고

난 살아가기 위해 눈물을
흘리지 않았다.

계속 눈물만 흘리면 살 수가
없을 것 같아서

감정 표현을 하지 않게 되었다.
마음의 문을 닫고 표현을 하지 않게 되었다.
그랬더니 마음이 편해졌다.

이런 것이 내가 삶을 살아가는
방법이 되었다.

아 픈 사 랑

아픈 사랑은 말없이 찾아와
나를 힘들게 해

난 이런 사랑을 원하지 않았는데
주고받는 것만으로도 행복한 사랑
그런 행복한 사랑 그런 사랑

하지만 난 사랑을 하면서도 아파하고
있어 매일 그를 기다리고, 이해해줘야
하고, 이해 안 되는 말로 나를 설득하려 해

나는 어디까지 그런 그를 사랑해야 할까?
아니 난 그를 너무 많이 사랑 하는걸

그 모든 것이 아픔이지만
난 여전히 그를 사랑해
벗어나려 해도 항상 제자리
이 아픈 사랑의 끝은 어디쯤일까?

아 픈 밤

너를 생각해서 아픈 건 아니야.
그냥 몸이 안 좋아서 아픈 거야.

네가 다정히 챙겨주던 모습이 떠올라
그리워서 아픈 게 아니야. 그냥 아픈 거야.

내가 필요로 하는 게 뭔지 알고 미리
사다준 너를 생각해서 아픈 게 아니야.
그냥 아픈 거야.

힘들 때 기댈 수 있는 든든한 어깨를
빌려준 것이 생각나서 아픈 게
아니야. 그냥 아픈 거야.

아픈 나를 위해 약을 사온 네가
생각나서 아픈 게 아니야.
그냥 정말 몸이 많이 아파서
아픈 것뿐이야.

제2부

슬 픔

눈

어렸을 적 내리는 눈을 봤을 때는
신나했는데
아무것도 하지 않고 가만히
손 위에 쌓고 있어도
포근했는데

지금은 그냥 눈
눈이 온다.
하얀 눈이 온다.
보면서 커튼을 닫는다.
내 마음의 문도 닫는다.

육교와 가로등

육교에서 헤어져 그를 기다려 보았다.
추운 날씨에 히끗히끗 눈발이 날리고 있었다.

저 멀리 검은 그림자가
다시 나에게 다가오는 듯 하다.
나 때문인가?

난 한참을 기다렸다.

그러나 그 그림자는 움직이지 않았다.
아....그대가 아니구나....

나의 이런 시린 마음을 달래주는 건 가로등일뿐,
그의 빛에 가려워진 그림자였음을....

너의 목소리

너의 목소리 이제 듣고 싶어도 들을 수가 없네.
언제나 나를 감싸주는 목소리

거짓으로 나를 속이며 내 마음을 까맣게
애태웠던 씁쓸하고 잔인한 너의 목소리

그래도 다른 사람들이 못해주는
나의 마음을 안아주는
따뜻한 너의 목소리 때문에

난 울고 웃고 좌절하며 해바라기만 해왔는데
이렇게 멀리 떠나버려
그나마 그 목소리를 들려주지도 않아
여전히 너만을 생각해.

나에게는 슬프고 아픈 너의 목소리

잔 소 리

사랑해서 나오는 말
아끼면 나오는 말
잔소리

그 소리에 그 와 나
상처 받고 슬픔에 빨려들어가

서로에게 생체기를 내버리고 말지만

사랑하기에 멈출 수 없는 잔소리

나도 포기하고 싶지만
그러면 나의 사랑도 포기하게 되기에

나의 사랑의 잔소리를 어떻게 포장할지
고민해 봐야겠다.
그마저 싫다면 내가 도망쳐야지.

사 랑

사랑은 슬픔의 빗방울이 떨어지는 빗물 같다.
당신을 사랑할수록 마음 아파
떨어지는 빗물 멈춰 지지가 않아
물웅덩이가 되고

강가까지 넘쳐흘러 나조차
어디로 갈지도 모르고 흐르는
거친 강물이 되어 간다.

그 슬픔은 거침없음을, 길을 잃음을
강물 속을 볼 수도 없는 흙탕물에 혼탁함은
나의 슬픔 속 마음 그 자체

나의 사랑이 어디로 갈지 모르는 두려움에
슬픔은 더욱 혼탁해져 가고 있다.
사랑, 사랑은 흘러가는
슬픔 속에서의 방황이 아닐까?

흐 린 날 씨

회색빛 하늘
내 마음 같은 하늘
난 그래서 싫다.

그래서 난 더 표정이 없어진다.
매일 뜨는 해는 어디에 숨은 걸까?
회색빛 마음에 밝은 해라도 떠주지
야속한 회색빛 하늘이 밉다.

나의 마음도 저 하늘처럼 어디로 갈지 갈팡질팡
마음을 잡지 못해
곧 빗방울을 떨어뜨릴 것만 같다.

나의 마음은 도대체 어디로 가는 걸까?
회색빛 하늘아, 너는 아니?
빗방울아 너는 아니?

별 바 다

검은 바다 위에 반짝이는 별들이
수 없이 펼쳐져 있다.
그 반짝임이 어느 다이아몬드, 수정
보석들보다도 아름다움에
난 그저 반짝이는 별들에게서
눈을 뗄 수 없었다.
한 없이 바라보다 보면 눈이 뿌예져 버린다.
그리 아름다운 밤바다가 또 있을까?

내 눈에서 곧 쏟아질 것 같은 슬픔과 아픔을
달래주는 별들,
너희들은 너무 예쁜 별들 중의 별이구나.
온 몸으로 빛을 발하며
사람들에게 희망과 꿈을 주는 너희는
소중한 보석 중에 보석

오늘도 나의 슬픈 마음을 달래주렴
외로움을 위로해 주렴
지친 마음을 기대게 해 주렴
지친 세상의 모든 것들에게서
너의 위로가 반짝임만이 있다면
나는 덜 힘들고, 덜 지치고
덜 외로울 수 있을 것 같아.
언제나 나와 함께 해주겠니?

오 지 랖

내 앞가림도 못하면서
남 걱정에 잠 못 이루는 날이 많아지고 있고

내가 스스로 걱정할 일이 산더미인데
내 일은 뒷전이고 남 일들이
더 급하고 걱정이 되는 건 왜일까?
이게 오지랖이지

나의 걱정은 남이 해주고 있으니
이건 무슨 웃지 못 할 해프닝이람?

내 앞가림도 못하는 나는 바보인가?
멍청한 건가? 아니다.
그냥 오지랖 바보이다.

똑똑하지 못한 바보이다.
그렇다고 남들이 알아주지도 않는데

난 무엇을 위해 그들을 걱정해 주는 걸까?

난, 그저 그들을 사랑하고 아끼고 걱정하니깐
그뿐이다.
거기에 내 마음만을 주었을 뿐,
그것이 잘못이라면 난 이제 어떻게 해야 할까?

그래도 난 그들을
나보다 더 사랑할 것을 멈출 수 없을 것 같다.

연 락

연락 좀 해줘
평소엔 내가 많이 안 하잖아

하지만 너에게 무슨 일이 있으면
연락이 안돼! 왜?

걱정이 되는 내 마음 모르겠니?
너의 마음도 알겠는데

내가 너에게 도움이 안 되겠지
하지만 내가 널 생각하는 마음 조금만
알아주면 안 될까?

조금은 귀찮아도 내가 널 생각하는
마음을 안다면 많이는 아니어도 한 번쯤은
연락 좀 해줘

나의 너에 대한 마음은 우정과 사랑이야

뒷 모 습

사람은 뒷모습에서 모든 것이 느껴진다.

그 사람의 사랑도
그 사람의 슬픔도
그 사람의 마음도
그 사람의 절망도

그 사람의 외로움도
그 사람의 분노도
그 사람의 고독도

그래서 난 언젠가부터 사람의
뒷모습을 보게 되었다.

그럼 그 사람이 보인다.

욕 심

사람의 욕심은 끝없음이 맞다.
나는 욕심이 많다.

가족의 사랑을 받고 싶고,
연인의 사랑을 받고 싶고,
친구의 사랑을 받고 싶고,
주변의 사랑을 받고 싶고,

하지만 정작 나 자신을 사랑하지 못하는 나

욕심을 부릴 자격이 없다.

그래도 욕심이 생긴다.

그럼에도 그런 나를 사랑해줄 누군가가 있다면
사랑받고 내 자신도 사랑하고 싶다.

바　람

나 바람이 되어서
그대에게 날아가고파

살랑살랑 당신의 머릿결을 날리며
그대 어깨에 살포시 안기고 싶어

나 바람이 되어서
푸른 초원을 날아서 초원을 거닐고 있는
말들과 함께 힘차게 달리고 싶다.

나 바람이 되어서
푸른 바다 파도가 출렁이는 바닷가에서
뛰어노는 아이들처럼 이리저리 흔들리며
비린 바닷가 물에서 잠시 놀다가 가고파

나 바람이 되어서
저 지평선 넘어 푸른 초원에 붉게 넘어가는
노을처럼
넓고 넓은 초원을 지나 지평선을 넘어
붉은 노을처럼 잠시 쉬어가는 바람이고 싶다.

바 보

넌 바보야
누가 너에게 약속해 주었니?
너의 혼자 생각으로
네가 너의 모든 것을 주었잖아?
그러면서 누굴 원망하니?

그래, 그래서 바보라고 하는 거야!
그들은 너란 하찮은 존재는 믿지도 않아.
그런데 넌 바보처럼 빚까지 내어가며
그들에게 무엇을 해 준거니?

그들은 너를 그렇게 생각 안 해
그저 고마운 호구?
ㅎㅎ 고맙게라도 생각하면 다행
아, 언제 거기서 나올래?

이제는 나오자 돌 만큼 돌았잖아.
이제는 정말 나올 때가 된 것 같은데
이정도면 정말 충분해, 바보야.

이제 그만 하자.

엄마의 파마머리

8살 때까지 난 엄지손가락을 물고
엄마의 파마머리를 잡고 자는 습관이 있었다.

이 습관은 갓난 아이 때부터 생긴 습관이다.

난 손가락을 빨면서 엄마의 머리를 만지면
안정이 되면서 자게 된다.

우리집에서 유일하게 나만 하는 습관이었다.

줄곧 놀림감이 되었지만 어쩔 수 없었다.

어릴 적부터의 습관이라 나도 버릇이
되어버렸다.

왜 나만의 그런 습관이 생긴 걸까?
좋기도 슬프기도 하다.

친 구

어릴 적 아버지와 손잡아 걸어 본
기억이 없었는데
아버지가 어린이가 되어서야
나의 손을 잡게 되었다.

내가 어릴 적에는 마냥 어렵고 쑥스러웠는데
이제는 아버지가 나에게 손을 뻗는다.
해맑은 웃음을 지으며

그럼 나는 그런 아버지의 손을
가만히 두 손으로 꼭 잡고
넘어질까 놓칠까? 땀이 나도록 꽉 잡고
아버지를 이끌고 나무 숲 공원길을 걷는다.

아버지는 기분이 좋으신가 보다.
맛있는 젤리 간식에

아버지는 나에게 많은 관심을 보이신다.
그런 아버지를 보면서
나는 또 아버지의 손을 꼭 잡고
하염없이 걷는다.

눈에 마음에 멍울이 한없이 올라와 흐르고 있다.
아버지와 나는 이제야 친구가 되었다.

나 태

어느 순간엔 죽을 것 같은 공포 속에서
하루하루 살다가 이제 좀 공기가 몸속으로
들어오자 곧 나태라는 것도
내 몸 속으로 들어왔다.

한 순간 한 순간 절망속의 긴박함은
없어졌지만 이제는 삶을 살아나갈
동력을 잃어버렸다.

처음엔 이 친구가 반가웠다. 너무 힘든
와중에 붙잡고 있던
밧줄 끈을 놓게 해준 것 같아서
하지만 이제는 이 친구도 놓아 주어야
할 때가 온 것 같다.

이 친구로 인해 나의 삶은 한 없이 길을 잃었고
주변의 걱정을 들었으며 스스로 할 수 있는
것을 잃어버렸다.

이제 이별을 통해
나의 길을 찾아 떠나야 할 것 같다.

용 기

내가 사랑하는 사람을 위해
난 무엇을 할 수 있을까?
난 여지껏 내가 무엇을 해주기보다는
사랑하는 사람 뒤에 숨어 있었다.

하지만 진짜 그 사람을 잡고 싶고
그 사랑을 표현 하고 싶으면
내가 할 수 있는 모든 것을 동원해서
나의 사랑을 그 사람에게 표현하더라.
노래, 춤, 시, 눈으로
끊임없이 세레나데로 표현하더라.

사람은 그런 용기가 필요한 것이다.
그 사람이 알 거라고
생각하고 마는 것이 아니다.
그 와중에서도 계속

나의 사랑의 세레나데를 보내는
용기를 보이는 것이다.

그러면 그 상대방도
그대에게 세레나데를 보내는 용기를 보여주고
서로에게 힘이 되어주는 것이다.

서로의 용기만으로
둘의 사랑이 차고 넘칠 것이다.

그런 사랑을 하고 있는 당신들이 부럽습니다.

푸 른 하 늘

푸른 하늘을 보고도 아무런 느낌이 들지 않는다.

나의 메마른 마음처럼

푸른 하늘이 무안해 하는 것 같다.

미안.

다음엔 좀 더 밝은 마음으로 만나자.

핸 드 폰

하루 종일 울리지 않는 핸드폰을 보며
내 인생을 본다.

내 인생에 이렇게 일들이 없나?
난 동굴 속에서 무엇을 하고 있나?

하지만 동굴 밖으로 나갈 용기는
아직 나지 않는다.

동굴 밖 세상에는
또 어떤 아픔, 오해, 슬픔이 있을지
난 아직 준비가 되어 있지 않다.

아직은 울리지 않는 핸드폰이
나에겐 편안할 지도 모르겠다.

다 른 사 랑

내가 좋아하는 사람이
다른 사람을 바라보고 있다.
나에게 너무나 완벽한 사람인데,
그 사람에게는 다른 사람이 있다.

둘은 내가 보기에도 완벽한 커플이다.
내가 끼어들어가기도 싫을 정도로
둘을 응원해 주고 싶다.

하지만 나의 이 허전한 마음은 어쩔 수 없다.

사랑하는 사람은 서로 사랑하는
사람을 만나야 하는 것이다.
내가 그 대상이 아닐 뿐

그 둘은 너무나 아름답다.

많은 지지를 받던 외면을 받던
난 그들의 사랑을 응원한다.
그들의 사랑이 영원하길.

사막에 핀 꽃

사막에서 꽃을 피울 수 있을까?
메마른 모래 위에 꽃이 뿌리를 내리고
잎이 피고 꽃 봉우리를 피울 수 있을까?

나의 사막 같은 마음속에서도 힘들 때
기댈 수 있고 위로 받을 수 있는
꽃 한송이가 있다면
얼마나 위로가 될 수 있을까?

메마른 사막 위 작은 꽃 한송이 씨가
나의 마음속에 들어와
나에게 위로가 되어 줄 수 있도록
피어나고 있길

나는 기다리고 또 기다린다.
내가 그 꽃 한송이에 기대어 위로 받고
사랑받을 수 있을 때까지.

친　구

친구란 어디까지가 친구일까?
나의 마음을 주는 것까지가 친구?

너의 마음까지 받아야 친구?
너의 마음을 받았다고 생각했는데
정말 모르겠다.

나의 마음 정성 모두 보여줬는데
너의 외면, 귀찮음, 신경 안 씀을 받았다면

우리는 친구가 아니지 않을까?

친구는 적으면 적을수록 좋은 것 같아.
그래야 진정한 친구가 내 손을 잡고

같이 웃어 주고 울어 주고 위로해 주기에
나도 같이 그 친구를 위해 해 줄 수 있다.

그런 것이 친구다.

그 리 움

이제는 그리워도 볼 수도 없고
만질 수도 없고 들을 수도 없는
그대 너무나 보고 싶습니다.

날 두고 먼저 떠나 가버린
그대가 원망스러워
파란 하늘을 올려다보아도

그대는 오늘도 아무 말도 없고
나의 허망함만 커지는 것 같아.

그대의 나에 대한 약속은 다
어디에 두고 나만 덩그러니
나두고 가버렸는지

이제는 그리움마저 원망으로 남았습니다.

제3부

행　　복

포 옹

따뜻함이 그리울 때
눈물이 날 것 같을 때

나의 사랑을 느끼고 싶을 때
당신의 사랑을 느끼고 싶을 때
당신의 살 냄새를 맡고 싶을 때

내가 당신에게 사랑 받는지 확인하고 싶을 때
하루 중에 당신과 헤어지기 싫을 때

마지막으로 영원히 헤어져 그리울 때
난 당신과의 포옹이 그립습니다.

초 승 달

초승달에 예쁜 꽃 꽂아주고
주렁주렁 긴 귀걸이 걸어주면
좋아할까?

아직은 초승달이기에 예뻐질 수 있는
기회가 많으니 더 꾸며주고 싶다.

예쁜 꽃 화관도 씌워보고
예쁜 볼에 발그레한 핑크빛으로 터치해주면
쑥스러워 할까?

너는 좋겠다.
이렇게 저렇게 해도 예쁜 초승달이니깐
점점 성숙해질 수 있는 너이기에
꽉 찬 보름달이 되면 누구보다 아름답고
밝은 빛을 내는 너가 될 수 있기에....

지 평 선

저 너머에는 나의 꿈이 있었고
나의 사랑이 있었다.

그 너머에는 좌절과 절망의 슬픔이 있고
참기 힘든 초라함이 있었다.

또 넘어보니 배신과 모함이 나의 살갗을
갈기갈기 생채기 내고 있었고 흐르는 피와
눈물이 함께 나를 적시고 있었다.

이제는 어떤 지평선을 또 넘어야 할까?

그 너머에는 나 자신이 있을까?
지금이라도
나 자신을 찾고 싶은 여정을 가고 싶다.

꽃

꽃 한아름이 가게에서 누군가를 기다린다.
난 오늘도 무심히 보면서 지나간다.

난, 아니기에
저 꽃바구니의 주인은 언제나 다른 당신

받은 당신은 행복할까?

행복하길.

이렇게 보면서 지나가는 나에게도 작은
잠깐의 행복을 주니깐

새벽의 어둠

새벽의 어두움은 두려움
보이지 않는 어두움 속에서
난 그래도 무엇이라도 해보려 한다.
두려움에 지면 난 또 뒤로 후퇴

한참을 어두움과 싸워보니
조금씩 밝음이 찾아와 준다.
다행히 새벽에 시간이 계속 움직이고 있어
얼마나 지났을까? 해는 뜨지 않지만
이른 아침의 기운으로 밝아지는 창문

오늘도 다행히 어두운 새벽에서 밝은 아침으로
하루를 시작할 수 있게 되었음에 감사하다.

멈 춤

사람이 멈출 줄 도 알아야 하는데
난 좀 힘들다.

사랑이 아닌 걸 알고서도 멈추지 못했고
도망가지도 못했다.

그 사람이 다른 사랑을 하고 있을 때라도
멈췄어야 했는데 그때도 멈추지 못했다.
그저 우두커니 온 몸이 굳어
그가 어떻게해 주길 바랄뿐

그 사람이 떠났을 때 놓아주웠어야 했다.
그러나 아직도 난 그를 놓아주지 못해
이렇게 계속 아프고 있다.

멈춤이란 것이 내게는 모든 것의 멈춤인가?
아니다. 새 출발일 것이다.
나에게도 새 출발의 기회를 위해 멈춤을 해보자.

기 도

너에 대한 미련으로 기도하는 마음
그분은 아실거야
괜한 짓이란 것을

그러나 오늘도 나 기도를 드리고 있어

그래야 나에게 평화가 오거든
쓸데없는 기도는 없어
그분은 아실거야

그 누군가의 사랑과 평화를
위한 기도란 것을

기　도 (2)

오늘도 나 그대를 위해 기도합니다.
건강하길
아프지 않길

가족을 위해 기도합니다.
아무도 알아주지 않지만 우리는 가족이니깐
서로를 사랑해야 하니깐
아껴주고 보살펴 주고자 기도합니다.

아픈 사랑, 억울함에 고통 받는 사람들을 위해
기도합니다.
아프지 않고 조금 더 힘내라고
억울함이 조금이나마
위로 받고 풀어 질 수 있도록
고통에서 벗어나
그 분의 따뜻한 품안에 안길 수 있길
오늘도 난 기도 드립니다.

웃　음

웃음은 누가 먼저 보여야 할까?
상대가 보내면 내가 웃을 수 있을까?

내가 웃으면 상대가 웃을까?

내게 웃지 않았던 여자가 다른 사람에게는
친절하게 웃어준다.
내가 잘 못 한 걸까?

나의 얼굴을 본다.
무표정에 웃음기 없는 화난 표정
다른 사람이 날 보고 웃어 줄 리 없다

웃음은 그렇다.
내가 웃어야 상대가 웃어주고 또
내가 웃을 수 있는 것이다.

스마일

희 망 고 문

희망이란 누군가에겐 전부이고
누군가에겐 살아가는 이유이며
누군가에겐 즐거움을 만들어 가는 도구이다.

아픈 이에겐 삶의 생명을 이어가는
중요한 끈이 되어주고
어떤 이들은 그 끈을 잡기 위해 노력하고
최선을 다해 그 희망을 잡으려 한다.

그러나 그 희망의 끈은 잡히기 힘들기 때문에
사람들은 좌절과 고문 속에서
그 희망을 찾기를 원한다.

그만큼 희망은 우리가 안으로 들어가기 힘들다.

그러다 어느 순간

나의 품안에 살포시 안겨 있는
희망을 난 본다.

나에게 찾아와 준 희망을 위해
난 그 희망을 소중히 키워나가
내가 만나고 싶은 행복을 만들고 싶다.

그대가 날 사랑하면

그대가 날 사랑하면
얼마나 좋을까?
매일매일이 행복할 텐데

그대 날 사랑하면
온 세상이 사랑의 핑크빛 물로 물들 텐데

힘든 직장 생활도 힘들다 생각 들지 않고
부모님의 잔소리쯤이야 즐거운 노래소리일 텐데

하루하루만을 생각하던 내가
내일, 일주일 후를 계획하게 되는
나를 발견하게 되는 것.

그대가 날 사랑하게 된다면
세상이 많이 변할 텐데
아름다운 세상
당신과 나 둘이 중심인 세상으로

나 뭇 가 지

잎이 없는 겨울 나뭇가지
잎도 없이 겨울을 나는구나
봄, 여름 가을에만 가지에 붙어 있다가
추운 겨울이 오면 견디지 못하고 떠나서 혼자서
눈이 오는 추운 겨울을 버티는 나뭇가지
어떻게 버틸까?

봄에 다시 돌아올 잎들을 생각하며 버틸까?
아마도 그럴 것 같아
다시 듬직하고
튼튼한 나뭇가지가 되어주기 위해
그 추운 겨울을 버텨 잎들을 다시 만나는 거지.
그 잎들도 나뭇가지를 기다리고 있었을까?
얼마나 힘들고 고되게 기다리고 있었는지

서로를 알아주고 기다려줘야
봄에 예쁘고 풍성한
파릇파릇한 나무가 만들어 지는 것 같다.
그렇게 서로를
애틋하게 기다리는 마음으로 만나야
그 나무가 행복하게 다시 살아갈 수 있으니까.

설 렘

사랑하는 사람을 만나러 가는 길은
언제나 설렘으로 가득하다.

평소엔 우울하다가도 오늘은
웃을 수 있다는 희망이 소망이 생기는 날

오늘은 다른 사람들을 생각하며 말하고
행동하지 않아도 되고
오로지 나를 보여줘도 되는 날

날 이해해주고
아껴주는 사람들을
만나러 가는 날

그런 날 나는 설렘으로 가득 찬다.

날 아 올 라

뜨거운 바람으로 공기를 채우고
난 들뜨기 시작한다.
인생을 계획 할 때도 아름답고 따뜻한
행복한 일들로만 설계를 하듯 뜨거운 공기는
그 큰 공기 주머니를 채워간다.

우리도 큰 공기 주머니에
아름답고 행복한 계획을 많이 세웠을까?
또 그것을 가지고 잘 운행하며 살고 있나?

중간 중간 강풍과 돌풍에 흔들리고
위험에 부딪힐 때 우리는 얼마나
능숙하게 운행하며 잘 버티며 살고 있는가?

이제는 땅에 내릴 때를 잘 골라 안전하게
착륙할 때를 고민할 때가 온 것 같다.
천천히 처음처럼 아름답고 행복하게 계획하여
안전하게 착륙하길 바래본다.

유 리 구 두

우리에게는 어릴 적부터 상상 속에 있는
아름다운 유리 구두가 있다.

내 발에 딱 맞는 아주 아름답고 빛나는
유리구두
우리의 마음속에는
각자의 유리 구두가 그렇게 있다.

하지만 그것을 꺼내서 신는 사람은
몇 사람 되지 않는다.

난 내 마음속의 수많은 유리구두랑
작은 유리구두를 찾아 꺼내 신어 보았다.

나의 눈에는 너무 아름다운 유리구두
다른 누가 뭐래도

나의 눈에는 아름다운 유리구두다.

이제부터라도 계속해서
나의 유리구두를 찾아 떠날 것이다.
나만의 유리구두 주변에서 뭐라 해도
나중에 후회하기 전에
진정한 나만의 유리 구두를 찾을 것이다.

사 랑

사랑은 기다려 주는 것이 아니다.
사랑이 오면 하는 것이다.
이 사랑이 아니어도 다음에 또 오겠지 하면
진짜 사랑은 절대 오지 않는다.

진짜 사랑은 한 번 오지
두 번 세 번 오기 힘들다.
그런 진짜 사랑을 알아보는 것도 힘들다.

진짜인줄 알았는데 아픔만 주는 사랑일수도
가짜인줄 알았는데
지나고 보니 정말 찐 사랑이었던 사랑일수도

사랑은 내가 어떻게 잘 선택하고
서로 노력하는지에 따라
진짜 사랑이 될 수도

가짜 사랑이 될 수도 있는 것이다.

이 세상에 진짜 사랑은 얼마나 될까?
아름다운 사랑을 꿈꾸고
만들어 가는 사람들이 하는 것이
사랑이다.

날 찾 기

새 신발을 신었다.
기분이 좋다.

평소에 신고 싶었던 신발
이걸 신었더니 나 자신을 찾은 느낌

ㅎㅎ 신발 하나로 나 자신을 찾다니
그동안 나는 도대체 무엇으로 살아온 걸까?

다음엔 또 무엇으로 날 찾을까?
악세사리? 헤어샵 가기? 다이어트 하기? 입고 싶은 옷 입기?

나 자신을 찾을 기회가 많을 것 같다.

선 물

선물은 살 때 기분이 참 좋다.
살 때 상대방을 생각하며 고르기 때문에
상대방의 마음이 어떨까에 대한 기대에
나의 마음도 신중에 신중,
온 마음에 집중을 하게 된다.

선물은 내가 좋아하는 사람, 존경하는 사람,
사랑하는 사람을
위한 선물이기에 내가 더 행복한 시간을 갖는다.
이 선물을 받으며 행복해 할 당신을 보며
나도 행복하기에

난 그래서 선물 고르는 시간이 행복한 시간이다.
나의 감사의 표현, 존경의 표현,
사랑의 표현을 할 수 있기에

나의 이런 마음을 받아 주세요.
당신을 위해 작지만
큰 마음의 선물을 함께 드립니다.

머리를 하고

머리를 하고
그를 만나러 간다.

그 사람에게 예뻐 보이기 위해
오늘 머리를 한다.

샵에서 디자이너와 심오한 회의 끝에
결정을 하고 주문을 걸어
예쁜 머리가 나오길 바라며 기다리는 시간

드디어 마법의 시간이 끝나고

만족해 하는 디자이너와는 다른 나의 마음은
음.... 2주만 지나면 괜찮아 질 거야....

그래 그 정도면 될 거야....
오늘은 어쩌지?

한 걱정을 하며 샵을 나온다.

나의 머리를 본 그는 음~
푸들 같다며 귀엽다 해준다.

난 속으로 위로해 본다.
2주만 지나면 괜찮아 질꺼야!....

커　피

오늘도 커피 한 잔에 의지해
취해 본다.

취하지 않으면 다른 생각들이 물밀듯이
밀려들어와 나의 마음과 정신을 흔들어 놓는다.

조금이라도 정신을 차리려
오늘도 커피한잔을 사가지고
집에 간다.

그것이 나에게 위로가 되며
의지가 된다.

나에게는 고마운 커피 친구

꿈

꿈은 꾸라고 있는 것이다.
좋은 꿈도 꾸라고 나만이 좋은 인생설계를위해
우리 둘의 인생을 위해 아님
다른 사람들을 위해
나의 목적을 위해 꾸는 것이다.

나에게 그런 꿈이 없다는 것이
얼마나 불행한 것인지
난 이제야 알게 되었다.
꿈 없이 살아온 인생에는 슬픔도 행복도
즐거움도 아쉬움도 없는 그냥 삶뿐이었다.

이제라도 꿈을 가질 수 있어서 감사하다.
이 꿈은 계속 꾸고 싶고 이루고 싶다.

그래서 다른 이들에게도 나에게도 꿈이 있으며
행복이 있다고 말해주고 싶다.

나에게도 꿈이 있다.

별

별과 눈물이
별과 슬픔이
별과 외로움이
나와 친구가 되어주길

별과 행복이
별과 웃음이
별과 행운이
나와 동반자가 되어주길

별과 내가 친구가 되어
언제나 나의 동반자가 되어주길

초 콜 릿

우울할 때 난 초콜릿이 떠올라
달콤한 그 맛이 날 기쁘게 해주거든

허전할 때 난 초콜릿이 떠올라
진한 맛이 정신이 바짝 차리게 해 주거든

그 사람이 생각날 때 난 초콜릿이 떠올라
그 사람과의 추억에 마음 아파할 때
부드러운 초콜릿이 달래주거든

아무생각 하기 싫을 때 난 초콜릿이 떠올라
달달함에 정신을 잃고
다른 생각을 안 하게 되거든

그래서 난 초콜릿을 좋아해
날 언제나 달래주고, 위로해주는 좋은 친구거든

여 행

여행을 가고 싶다.
마음 가볍게 아무 걱정 없이
나와 여행만을 생각하며 떠나는 여행

비행기. 배. 기차 아무것이든 상관없이
가볍게 떠날 수 있는 여행

친구와 함께 가도 좋고 여행 중에
좋은 사람을 만나도 좋고,
여행은 좋은 친구와 함께 할 수 있는 좋은 시간

나만의 로맨스를 실현할 수도 있고,
꿈을 현실로 바꿀 수도 있는 꿈의 판타지

여행은 언제든 누구든지 어디든지 좋은 것
좋은 여행은 내가 만들어 내는 것

좋은 여행을 좋은 사람들과 만들어 떠나자.

기 다 림 (2)

사랑하기에 가능한 마음
용서할 수 있기에 가능한 마음
보고 싶기에 가능한 마음
함께 하고 싶기에 가능한 마음

당신을 원하기에 가능한 마음
변할 수 있는 당신을 기다리는 마음
사랑 받을 수 있다는 행복을 기다리는 마음
아직도 내가 그대를 사랑하기에
기다릴 수 있는 마음

돌 고 래

너는 좋겠다.
푸른 바다 어디든 마음대로 돌아다녀도 되고
바다 길 어디든 나만의 길을 만들어 다니며
헤엄칠 수 있어서

돌고래야 너는 좋겠다.
푸른 바다 위에서 떠오르는 태양을
그 누구보다 가까이 볼 수 있어서
그래서 그 밝은 태양빛을
온 몸으로 빛을 발 할 수 있어서

돌고래야 너는 좋겠다.
해 지는 붉은 바다 위에서 저무는 해를 보며
붉은 노을을 등지며 저무는 해를 위로하며
내일을 약속 할 수 있으니

돌고래야 너는 좋겠다.
그러니 나의 마음도 전해 줄 수 있겠니?
푸른 바다 위에서 지는 해를 보며
모든 생명들이 행복하기를 빌어주겠니?

기 도 (3)

오늘도 기도합니다.
모든 영혼들을 위해
억울한 영혼들을 위해
사랑했던 영혼들을 위해

이제는 아무도 찾지 않는 영혼들을 위해
그분께서는 그 영혼들을 아끼며 사랑하십니다.

나도 오늘 그 분들을 잊지 않고 기도드립니다.

사 랑 이 라 면

서로를 믿을 수 있어야 합니다.

사랑이라면

서로를 아껴야 합니다.

사랑이라면

서로를 양보해줄 수 있어야 합니다.

사랑이라면

기다려 줄 수 있어야 합니다.

사랑이라면

오해를 풀 용기가 있어야 합니다.

사랑이라면

나 보다 당신을 먼저 생각해야 합니다.

사랑이라면

끝까지 그 사람을 사랑 할 수 있어야 합니다.

봄

봄이 오면 억지로 겨울 외투를 벗게 돼
하지만 난 벗고 싶지 않은데

아직은 바람도 불고 추운데

봄은 겨울도 아니면서 춥고 여름도 아니면서
가끔 땀도 나게 하는 변덕쟁이 같아

봄아 봄아 조금만 더 따뜻해 줄 수 없을까?
그러면 나도 꽃무늬 치마 입고
따뜻한 봄 날씨를 느낄 것 같아

우리 봄 날씨 같이 느끼자.
꽃도 피고 따뜻하고
봄 같은 봄으로 우리 같이 느끼자.

비

비가 오면 우리 강아지는 무지 좋아해요.
나가지도 못하면서 비만 오면 하염없이
창밖만 쳐다보며 꼬리를 살랑살랑
한없이 흔들어 대요.

나가자고 하면 못 들은 척
할아버지처럼 짐짓 큰 창문에서 내리는
빗물만 한 없이 보고 있어요.

우리 강아지는 멋이 있는 강아지예요.
비가 오면 집에 누가 오든 쳐다보지도 않고
하염없이 창밖에 내리는 비만 보죠.

우리 강아지는 멋쟁이 예술가입니다.

미 사

마음의 평화를 얻기 위해
일주일에 한 번 성당에 간다.

다른 사람들은 그런 나를 이해를 못 한다.
예전엔 그런 것도 신경 쓰였는데

이젠 정말 나만의 평화가 되고나서야
그런 편견이나 이목에 대해서는
관심이 없어졌다.

나만의 마음의 평화 그것이 나에게
어떤 의미인지가 중요한 것이다.

그건 누가 가르쳐 주거나 알려주는 것이 아니라
내가 알게 되고 느껴지는
중요한 시간이 되는 것이다.

따 뜻 함

카페에서 따뜻한 햇살을 맞으니
나의 차갑던 마음도 햇살만큼
따뜻하게 녹는 듯하다.

집 침대 위에서 뒹굴뒹굴 거릴 땐
누군가 나에게 말만 걸어도
싸우자고 으르렁 거릴 것만 같았는데

조금 나아가 카페에서 햇살을 받으니
나의 그런 마음은 어디로 갔는지 알 수 없고
조금은 푸릇해진 나무를 보며
더 따뜻해질 봄을 기다려 본다.

따뜻함의 힘이 이렇게 컸던가?
아무 의욕 없는 내가
주변의 나무들과 꽃들을 찾고
나른해 지는 스스로를 보며 만족해한다.

따뜻함이 좋다.

사랑의 선택

사랑도 하고 싶은 사람과
하지 못하는 사람이 있다.
둘만의 사랑이 너무 진실하고 애절해도
다른 사람들의 인정을 받아야 하는 사람들

모두들 그런 사람들은 아니지만
진실로 서로를 알고 진실로
서로를 책임 질 수 있기를
간절히 바라는 그렇게 오래 아주 오래오래
고민해 온 연인이 있다.

그 연인들을 위해 난 조심히 응원을 보낸다.
그들을 알지 못해도
그들의 마음이 진심임을 알기에
응원을 해 주고 싶다.

진실로 사랑하고 수많은 시간 고민을 해
왔다면
그 사랑은 인정받아야 하지 않을까?

그 사랑을 인정해 줄 수 있는 사람들만이라도
그들을 축복해 주고 싶다.

고마운 친구

나에겐 고마운 친구가 있다.
언제는 언니가 되어주고
언제는 개구쟁이 동생이 되어주고

힘들 때는 든든한 조력자가 되어주는
그런 고마운 친구가 있다.

이런 친구를 내게 보내주신 분께
난 항상 감사의 기도를 드린다.

나에겐 언제나 과분한 수호천사 같은 친구

내가 항상 고맙고 곁에 있어서 사랑합니다.

사 랑 합 니 다

나는 당신을 사랑합니다.
내가 아파 넘어져 쓰러져 있을 때
당신이 나에게 다가오셔서 저를 일으켜 주셨죠.

태풍 같은 회오리에 휩쓸려 어딘지도 모르는
암흑 속에 빠져드는 저를 위해
팔을 뻗어 잡아주신 분도 당신

다들 저를 이해하지 못해 슬픔과 당혹감과
외로움으로 문 밖으로 나가지 못 할 때에도
당신만이
저를 따뜻하게 대해주셨지요.

제가 살아 갈 수 있도록 길을 만들어 주신 분도
당신이십니다.
그러니 제가 어찌 당신을 사랑하지 않을 수
있겠습니까?

사랑해 주시는 당신이 있기에 제가 여기에
있습니다.

내가 보는 아름다움

길 다가 폐지 줍는
할머니의 리어카를 밀어주는 학생들
만원 지하철에서 다리 다친 사람에게
자리를 양보해 주는 사람
누구인지 모르는 수많은 사람들을 위해
방송을 통해 위로의 말을 건네주시는
지하철 운전사님

버스에서 무거운 짐을 들고 타신 할머니를 위해
자리를 비켜준 사람
길 가다 쓰레기를 주어
쓰레기통에 넣어 주는 사람
추운 겨울 장터에서 생선을 파는
할머니의 거칠 대로 거칠고 갈라진 손

횡단보도에서 다쳐 늦게 걷는 사람을 위해
기다려 주는 운전자
한밤중에 계속 우는 아이를 달래주는
엄마의 모습

그 중 가장 아름다움은
사랑하는 마음으로 그 마음을
여러 사람들에게 나누어 줄 수 있을 때의
아름다움.
나눔.

소중한 것

돈 보다 보석 보다 소중한 것을
찾는다는 것이 얼마나 힘든지 안다.

난 이미 때가 너무 타버린 속물
하지만 이 세상엔 돈 보석 다이아보다
아름다운 것이 많고 많다.

부모님 없이 열심히 공부하는 학생
구부러진 허리로 폐지를 주우러 다니며
모은 돈으로 다른 사람을 돕는 할머니

남의 어려운 일을 보고 함께 나서서
일을 처리해 주는 보통 시민

하지만 난 그런 많은 사람들이
있는데도 제대로 보지도 못 한다.

소중한 것이 있는데도
제대로 보지도 못하는 나는
소중한 것을 가질 자격도 없는 걸까?

이제라도 소중한 것에 대해 생각하고
하나만이라도 내 것으로 만들어 보고 싶다.

꿈

나는 꿈을 꿔 본적이 없다.
내가 무엇이 될지

나에게 스스로 노력을 해보지도 않고
좋아하는 것에 대해 생각도 하지 않았다.

그냥 삶을 살아왔으며
그 삶이 나의 모든 것이 되었다.

꿈이란 다른 여유 있고 재능 있고
노력하는 사람들이 꾸는 것이라고 생각했다.

나의 찌든 삶에는 꿈은 사치이며
맞지 않는 옷처럼 느껴졌다.

하지만 지금 이 순간 난 꿈을 꾸고 싶다.
그 동안 내가 마음속으로만 품고 살았던
글을 쓰는 사람으로 살고 싶은 꿈을.

사 랑

사랑은 저울로 재는 게 아니다
그저 느낌으로 그 사람의 마음을 읽는 것

돈이 없어도 창피하지 않아야 하고
돈이 많아도 티 나지 않게 편하게 해주는 것

사람은 계산된 놀이가 아니라 서로를 위한
배려에서 비롯된 사랑놀이

서로가 없으면 살 수 없고
서로가 없으면 허전하고

서로가 없으면 외롭고
서로가 없으면 한 없이 그 사람 생각으로
그리워하면서 벗어날 수 없는 그물에
잠식당하고 말아버리는 것

그런 것이 사랑이다.

들 국 화

들에 피어서 들국화인가?
보라색, 노란색, 하얀색, 핑크색

너무 다양한 색깔의 들국화를 보면
화려하지는 않지만 단아하고
여러 색상의 꽃을 피우고 있는
아름다운 꽃이다.

다른 꽃들은 자기들을 더 봐달라며
화려하게 치장하지만 들국화는
그 자체로 화려하지는 않지만
단아한 모습과 아름다운 색상으로
나의 마음을 설레게 한다.

들국화 한 아름을 안고 사랑하는 사랑과
아름다운 길을 거닐고 싶다.

기 대

난 너에게 무엇을 바란 걸까?
나에 대한 끊임없는 관심?
나의 말에 대한 무조건적인 신뢰?

외롭게 해주지 않게 해주는 책임감?
나의 보디가드?
나만의 왕자님?

이런 기대감으로 나의 존재감은
점점 어려지고

이러한 기대 때문에 힘든 당신은 점 점
멀어져만 가고 마네

기대도 사랑해서 하는 마음의 표현인데
이런 기대는 서로를 피곤하게 만드는
기대 아닌 기대가 되어 버린다.

서로에게 힘이 되어주는 기대로
사랑이 되어주자. 아자!

마음속의 상자

마음속의 상자에는
여러 가지 마음의 소리가 있다.

사랑하는 사람에게 속삭이는 사랑스런 마음
사랑하는 사람에게 보내는 질투의 마음

나 보다 앞서가는 사람에게 보내는 부러운 마음
나 보다 앞서가는 사람에게 보내는 좌절의 마음

친구가 되고 싶은 사람에게 다가가고 싶은
수줍은 마음
친구가 되지 못하고 주위를 맴돌며 애타는 마음

짝사랑 하는 사람에게 고백하고 싶은 마음
짝사랑 하는 사람에게 고백하지 않고 상처받기
싫은 마음

사랑하는 사람에게 사랑받고 싶은 마음
사랑하는 사람에게 사랑을 주고 싶은 마음

나의 마음속에는 여러 마음의 소리가 있어.

장 독 대

어렸을 때 우리집 뒷마당에는
장독대가 있었다.

그 곳은 우리의 놀이터였다.

그 곳에서 우리는 숨바꼭질도 하고
앞에서 고무줄놀이도 하고

엄마는 장독대 앞에 화분을 놓아
예쁜 꽃들을 심어 놓았다.

어렸을 때 장독대는 우리의 놀이터였지만
예쁜 꽃밭이기도 했다.

지금은 찾기 힘든 놀이터
그리운 놀이터

우　정

우정의 크기는 아주 작다
난 우정의 크기는 푸른 바다보다
넓고 깊다고 생각했다.

하지만 동네 물웅덩이만큼도
안 되는 것이 우정이다.

난 우정이 밤하늘의 별들보다
반짝일 것이라 생각했다.

하지만 걸어 다니며 채이는
돌보다 흔하고 모진 것이 우정이다.

우정은 내가 좋을 때 우정이고
내가 바쁘고 관심이 없어지면
우정이 아닌 것이다.

그래도 난 우정에 목 메이지 않는다.
단 하나의 우정만 있어도 괜찮으니깐.

나의 사랑

너가 나를 사랑해서 사랑한 게 아니야
내가 너를 사랑해서 사랑하는 거야.

너가 나에게 선물을 줘서 사랑하는 게 아니야.
내가 너에게 선물을 줄 수 있어서
사랑하는 거야.

너가 날 만나서 사랑하는 게 아니야.
내가 널 만날 수 있어서 사랑하는 거야.

너가 나에게 이별을 이야기해도
나는 너를 아직도 사랑하는 이유는

그럼에도 난 너를 사랑하고 있기 때문이야.

결 혼

결혼을 축하해
인생의 반쪽을 만나기란 힘들지

그 힘듦을 해낸 걸 축하해

물론 무지개 빛만으로는 채워지진 않겠지
가끔 비도 오고 천둥도 치고
태풍도 오고 눈도 오고 하겠지만
그런 것들이 계속 지속되지는 않아

곧 멈추고 날이 밝아오지
그때까지 둘이 서로를 이해하고
믿고 의지하면 잘 지나가지 않을까?

그런 것이 부부라고 생각해

사랑은 서로의 믿음이 중요하다는 것 잊지마

도　움

나에게 도움이 없었다면
여지껏 살아오지 못했을 것이다.

도움이 필요한 사람에게는
주변에서 다행히 그런 사랑을 주는
사람들이 있다.

하느님도 계시고 그러기에 난 오늘도
감사하고 또 감사한다.

나를 여기까지 이끌어주심에
살게 해주심에 도움을 받게 해주심에

살고 있는 것이 나에게는 기적임을
알고 있기에 감사에 감사를 드린다.

소 망

어릴 적부터 꿈이 있었다.

그 꿈이 이루어진다면
난 구름 속을 타는 느낌일 텐데

그런 행운이 나오게 올까?

어릴 적 나는 소망도 꿈도
없이 살아왔다.

살아오는 것 자체가 힘이
들었기에 그런 것들은 나에게
사치였다.

그동안 나는 나를 잃고 말았다.

이제는 나의 꿈과 소망을 찾아

떠나고 싶다.
그 소망을 이루고 싶다.

행　복

난 행복을 꿈 꿔보지 못했다.
행복과 난 거리가 멀다 생각했다.

이젠 나도 행복을 꿈꾸고 싶다.
아직은 나도 아프고 힘들어
행복이 멀어 보이지만
포기하기는 싫다.

이런 나에게도 포기하지 않아서
할 수 있는 것이 행복이라면
그 행복 나도 가지고 싶다.

행복 속에서 살고 싶다.